COMMENT
s'habiller
jolie

quand on n'a pas le compte en banque de

Paris Hilton

LAURE GONTIER

COMMENT
s'habiller
jolie

quand on n'a pas le compte en banque de

Paris Hilton

marabout

sommaire

introduction

Un matin, on se lève, on ouvre les volets et on s'aperçoit que le ciel est bleu, que les oiseaux gazouillent, que les bourgeons bourgeonnent : mais oui, c'est l'hiver qui s'en va à petits pas !

Et le printemps qui pointe le bout de son nez, nous, ça nous donne *illico* des envies d'été. Mais pas si facile de renoncer d'un claquement de doigts à tout ce à quoi on s'est habituées pendant les mois froids : des piles de vêtements qui dissimulent les excès de chocolat, des collants opaques qui masquent la flemme de se dépoiler, du noir qui évite d'avoir à se demander ce qui va avec quoi…

Tandis que les feuilles des arbres repoussent, nous, on est censées se défeuiller. Hum…

Penser chapeau de paille et non plus bonnet de laine. Sortir les imprimés ananas et ranger le pull tête de renne. En même temps, n'est-ce pas un peu risqué de passer sans transition de la doudoune à la robe à bretelles, lorsque les giboulées de mars peuvent sévir jusqu'en mai, qu'un collègue zélé a eu l'idée de pousser la climatisation à fond, ou tout simplement que les températures ont décidé de n'en faire qu'à leur tête et de ne pas se hisser jusqu'aux normales saison-nières ?

Heureusement, ce petit livre est là pour vous aider à sortir du tunnel du col roulé sans vous laisser à court de munitions en cas de coup de vent…

Bonne lecture !

1

IL Y A UNE VIE APRÈS LE COL ROULÉ

---

*J'ai pris l'habitude de couvrir mes bras
et mon décolleté par des manches longues
et des cols jusqu'au cou. Aujourd'hui,
la laine me fait transpirer comme
une bête. Je n'ai qu'une seule envie :
donner mes pulls à manger aux mites !*

Changer le haut,
c'est le plus facile

Pour amorcer la mutation de femme grizzly en sirène, le haut fait l'affaire, car il n'y a pas forcément besoin de changer le reste : une jupe sur un collant opaque va prendre un tour plus light si elle n'est plus associée à une matière qui gratte. Un pantalon de laine peut aussi prendre une tonalité masculin-féminin bienvenue s'il se retrouve associé à un marcel.

Easy : le tee-shirt

Pas besoin d'attendre le plein été pour y penser. Au contraire, s'il est bien coupé, en bon état, loose juste ce qu'il faut avec le col un peu lâche (un tee-shirt à la Jane Birkin, en somme), éventuellement des manches trois-quarts, il est parfait pour donner un tour plus décontracté à la silhouette sévère de l'hiver. Imaginez-le sur une jupe crayon et des escarpins… So hot !

Plus osé : le débardeur

Gare au bon vieux marcel qui peut vraiment faire très (trop) décontracté. En même temps, lui aussi donne une coolitude sensationnelle à n'importe quelle tenue. L'idée pour ne pas encore jouer les beach babes (c'est trop tôt) : le tamiser avec un petit gilet ou un blazer.

Idéal, le chemisier

Il peut avoir des manches longues (utiles pour les frileuses), tout en restant dans un tissu léger qui évoque le printemps : une blouse en mousseline de coton dont on laisse négligemment les premiers boutons ouverts, juste sur un jean, c'est joli, printanier et sexy.

L'alternative : le pull en maille toute fine

La laine ou le cachemire de décembre, pourquoi pas, mais dans une coupe si ample et un tricotage si light, si aérien, que ça ne tient plus spécialement chaud. Juste ce qu'il faut, en fait.

Conseil du jour

Le grand retour des bijoux !
Comme je montre à nouveau mes poignets, c'est l'occasion de les orner de mes bracelets préférés. *Idem* pour mon décolleté : s'il retrouve la lumière du jour, je le sublime à coups de colliers. Il y a de la place, maintenant qu'il n'y a plus ni gants ni écharpe !

2

LA MAGIE DE
LA PETITE ROBE

*Soit elle a hiberné tout l'hiver, soit elle
a sorti son nez, mais sans trop oser
rigoler. Il va falloir retrouver le plaisir
de se dandiner en p'tite robe !*

What else ?

Rien n'est plus associé à l'esprit printanier que la robe. Il n'y a qu'à regarder les pubs Bridélice, les filles y sont toujours en robe ! Sauf qu'il y a robe et robe. Il y a la robe trois trous en lainage noir de l'hiver : pas fun. Et il y a la robe en voile à pois qui virevolte : c'est celle-là dont on a envie au retour des pâquerettes.

La magie tout-en-un

Outre sa gaieté naturelle, c'est ce que l'on aime dans la robe. On l'enfile, et hop ! on est prête. Surtout si elle a des manches longues, auquel cas, à la mi-saison, il n'y a pas besoin de penser à quoi que ce soit d'autre. Et ça, ça libère le cerveau pour des choses autrement plus urgentes.

Maxi ou mini ?

L'important n'est pas tant la longueur que la matière. Un grand jupon de mousseline qui descend jusqu'aux pieds fera un peu hippie et nettement plus joyeux qu'une petite robe noire toute courte et toute moulante dans un tissu qui tient chaud. Pensez aussi à la robe baby-doll ou aux formes trapèzes, qui collent parfaitement à l'esprit insouciant du printemps.

La robe-chemise

C'est quand on maîtrise déjà un peu les codes post-hiver, car cette robe toute boutonnée sur le devant est coupée dans un coton léger, souvent décliné dans des couleurs pastel, ce qui la rend aussi appétissante qu'un sorbet. En avril-mai, on la dompte encore avec des ballerines ou des derbies, et vers juin-juillet, on passe aux sandales qui crient « Vive l'été ! »

La robe à bretelles

Elle a parfois traversé les mois froids car on adore la porter sur un pull à manches longues, avec des grosses chaussettes et des bottes. Il est temps de lui redonner sa fraîcheur originelle, de la faire renouer avec son esprit « belle des champs » ! Même si, les premiers temps, mieux vaut la réchauffer (et l'urbaniser) d'un blouson ou d'une veste, de « vraies » chaussures et d'un sac de dame.

Conseil du jour

And the winner is: la robe-portefeuille!
Tout simplement parfaite parce qu'elle fait idéalement la transition entre l'hiver et l'été. Elle est comme un grand cache-cœur dans lequel on se love (= c'est douillet), mais en même temps, elle est fine, décolletée, fendue sur le devant (= sexy en diable). Avec, on peut mettre un collant ou pas, c'est selon les goûts, les envies: de toute façon, ça sera bien.

3

LE POUVOIR WONDER WOMAN DU SHORT

Il a fait sensation l'été dernier sur la plage de Bandol. Pourquoi ne pas le faire sortir en ville sans attendre les prochaines vacances ?

Il y a longtemps que le short n'est plus réservé au sport !

Pas plus qu'il n'est réservé à la randonnée ou à la plage…
Il peut habiller (presque) toute l'année celles qui
aiment montrer leurs gambettes. Et pas uniquement
les starlettes paparazziées dans les magazines people !
Car il y a mille et un shorts et mille et une façons de
porter le short. Et c'est tant mieux !

Le plus sage : le bermuda

Il descend juste au-dessus du genou et cache tout
ce qu'il y a à cacher (sa pudeur et des cuisses un
brin épaisses…). Mais il faut le glamouriser afin
de ne pas faire touriste avachie. Les Birkenstocks ?
Au secours, on oublie ! Essayez les espadrilles
compensées, un chemisier et un petit sac à chaîne.

On peut le porter différemment

Court et serré, ou au contraire ample et lâche. Taille
haute ou taille basse. Tout est possible et imaginable,
à condition de poser un regard impitoyable dans le

miroir : il **doit** dessiner de jolies jambes (il est quand même là pour ça). Et si tout n'est pas parfait de ce côté, il accepte parfaitement, tout sympa qu'il est, de se poser par-dessus un legging. À ce tarif, on se demande encore pourquoi il n'habille pas plus de filles ailleurs qu'en vacances.

Une vraie alternative au pantalon

Court ou long, le short peut remplacer le pantalon, y compris en soirée, y compris dans un milieu de travail assez strict. Il peut être très chic en cuir. Ou bien imaginez-en un bleu marine ou rose pâle, coordonné à un blazer et des talons élégants… Sublime, non ?

Le short en jean

Il est *a priori* plus associé au farniente de l'été ou aux « wild girls » le reste de l'année. Mais lui aussi sait se laisser dompter : des mocassins, un blazer, un sweat-shirt, et il redevient sage comme une image.

Accessoirisez !

La condition *sine qua non* pour faire passer le short en ville, c'est l'accessoire. On ne parle pas là de la cape de Wonder Woman ! Non, on parle de chaussures en cuir plutôt que de nu-pieds. Sac à main de dame plutôt que cabas de plage. Bijoux en métal plutôt que bracelets tressés...

Conseil du jour

Sombre ou flashy ?

Il va de soi qu'une couleur sombre est plus amincissante qu'une teinte flashy ou que de gros imprimés. Mais même les fessiers rebondis peuvent se permettre de jouer les pin-up avec un short rouge coquelicot, tamisé par une gentille blouse à pois. Et absolument toutes les filles peuvent se permettre un tissu Liberty : si, en jupe, il fait un peu neuneu, il est furieusement rock'n'roll sur ce bout de tissu rikiki.

23

4

CIEL ! C'EST À MOI, CES JAMBES BLANCHES ?

Le moindre centimètre carré de peau a été tout l'hiver dissimulé sous des couches de vêtements. Circulez, y a rien à voir ! Avec l'arrivée des beaux jours, je m'épluche et… au secours, mes jambes sont toutes blanches ! Et, ouh, la vilaine peau de croco ! Et, beurk, les mollets de coq !

Mais comment font-elles ?

Encore emmitouflée dans ses frusques d'hiver, on croise parfois, aux premiers frémissements des températures, des filles toutes pimpantes, la peau dorée, les jambes épilées, le teint rosé, qui ont l'air tout droit parachutées d'une autre latitude. Mais comment font-elles ? Il y a fort à parier qu'elles ne se sont pas réveillées comme ça, mais qu'elles ont dû, comme nous toutes, bosser, afin de, tel le serpent qui fait sa mue, passer de « peau d'hiver » à « peau d'été » !

Le b.a.-ba, ennuyeux mais indispensable

- ✓ Dépoilage intensif des jambes, on ne va pas vous expliquer pourquoi.

- ✓ Pédicure, pour pouvoir montrer ses pieds.

- ✓ Exfoliation (des gambettes, du visage, des bras, du décolleté), pour se débarrasser des peaux mortes.

- ✓ Hydratation, pour retrouver une peau souple.

Tout ça, c'est le minimum, n'est-ce pas ?

Privatisez la salle de bains !

S'épiler, se poncer les talons, se passer le gant de crin… Y a plus glam' comme occupation, c'est sûr. Et si on en profitait pour en faire un moment de chouchoutage et de bichonnage rien qu'à soi ? On privatise la salle de bains, on allume des bougies et on se fait couler un bon bain (bonus : les pores seront dilatés et les poils s'extirperont moins douloureusement lors de l'épilation). Et on ne choisit que des produits qui nous font pousser des petits cris de joie : des crèmes qui sentent divinement bon, un vernis que l'on voudrait épouser…

Massez-vous

Si vous avez le temps, allumez quelques bougies et mettez de la musique pour faire de ce moment un vrai plaisir, et si vous êtes pressée mais que vous ne voulez pas perdre de vue votre objectif « sortie de l'hiver », profitez de votre toilette du matin pour agir. Le massage des jambes, des cuisses et des pieds sera au choix relaxant, stimulant, tonique ou drainant.

Adoptez les bons gestes réflexes

Et au quotidien, pour ne plus avoir à y penser!
Concrètement, vous vous exfoliez régulièrement
(geste éventuellement suivi d'un lait autobronzant),
vous vous hydratez chaque matin/soir les pieds et
les jambes soigneusement…

Conseil du jour

Cachet d'aspirine ou couleur caramel?

Il y a un point sur lequel la nature est d'une injustice
flagrante: la teinte de la peau. Certaines ont des
mollets cachet d'aspirine qu'elles détestent montrer;
d'autres ont une peau couleur caramel ou chocolat à croquer toute l'année. Celles qui font partie
de la seconde catégorie sont des petites veinardes!
Les autres… Eh bien, qu'elles ne se gênent pas pour
tricher à l'autobronzant. Les formules actuelles ont
un rendu très naturel. Et, non, elles ne nous trans-
forment pas *illico* en rejetonnes du clan Kardashian.

27

5

DOIS-JE DIRE « AU REVOIR » AU PANTALON ?

Lui et moi, on est restés collés-serrés tout l'hiver, mon homme en est limite jaloux. Mais avec le soleil qui pointe, je me demande si je ne devrais pas divorcer (du pantalon, pas de l'homme).

Est-ce le moment de brûler son pantalon ?

Qui dit retour des beaux jours, dit traditionnellement come-back de la jambette sur le devant de la scène. Il est sûr que la flanelle semble soudainement très lourde sous le soleil et que le jean slim qui moule le cuissot devient un concept assez désagréable passé 23 degrés.

Quid des pantalons en tissu light dessinés spécifiquement pour l'été ?

C'est le cas du chino, que l'on roulotte à la cheville et qui, avec des chaussures plates, fait très Kennedy à Cape Cod. Ou des modèles genre jogging en soie, très fluides, poids plume, qui font merveille avec des talons.

Le cas du jean

On s'imagine mal renoncer à un basique aussi essentiel.

- ✓ Pour le slim, la clé est de le choisir pas trop étroit et dans un tissu pas trop stretch, afin que la peau puisse continuer à respirer lorsque le thermomètre commence à grimper.

- ✓ Il y a aussi le jean boyfriend, qui tombe négligemment sur les hanches et devient très mignon avec un petit haut tout flou.

- ✓ Sans oublier le modèle taille haute, soit large, coupé comme un pantalon de marin, soit bootcut, à la Farrah Fawcett.

On n'oublie pas le capri !

Alias pantalon-cigarette, ce petit modèle court à la cheville, qui, en noir, en couleurs pop, à rayures ou en denim, a été immortalisé par Brigitte Bardot, Audrey Hepburn, Liz Taylor ou, plus récemment, Kate Moss. Aux antijupettes, il apporte la touche mutine qui pourrait leur faire défaut.

Il résiste : le pantalon noir ou gris

Oui, celui qui nous a suivies tout l'hiver, à condition qu'il soit dans un tissu pas trop épais. Il peut faire de la résistance au printemps, avec une blouse en dentelle ou un tee-shirt loose. Et c'est clairement le moment de dépareiller le tailleur-pantalon. On tombe la veste et on ajoute encore de la légèreté avec une ceinture colorée et des sandales compensées.

Conseil du jour

Pssstttt !
Ce n'est pas parce qu'il fait beau qu'il faut s'adonner à la taille très très (trop) basse. Premièrement, ça manque de chic, et deuxièmement, ça flanque des bourrelets même à la plus ravissante des belles plantes.

6

LES BONS DESSOUS
POUR AVOIR
TOUJOURS
LE DESSUS

---

*Soutien-gorge distendu, culotte délavée,
je m'en fiche pas mal car tout cela est
dissimulé par des couches de vêtements.
Mais ma grande culotte de mémé hyper
confort sera-t-elle opportune avec ma
petite robe subtilement transparente?
Pas sûr.*

Ce qu'il y a dessous se reflète parfois dessus !

Sous prétexte qu'ils sont cachés, les sous-vêtements sont souvent le domaine dans lequel on a le moins envie d'investir. Or, une culotte ou un soutien-gorge peuvent à eux seuls faire ou défaire une tenue (« *make or break an outfit* », comme disent les Anglo-Saxons).

Un soutien-gorge peut radicalement transformer le décolleté

Il faut trouver le bon, celui qui n'écrase pas la poitrine et la remonte subtilement. Cela a l'air tout bête, dit comme ça, et pourtant, les vendeuses du rayon lingerie affirment que nombreuses sont les femmes à porter le mauvais soutif…

La culotte de grand-mère aux orties !

Sous une jupe, la culotte doit être un peu couvrante pour ne pas trop en montrer en cas de coup de vent. Cela ne signifie pas qu'elle doive nécessairement être neutre, et encore moins ressembler à un slip de grand-mère. Dessous aussi, on veut de la gaieté, des couleurs, des imprimés !

Peut-on laisser voir son soutien-gorge ?

Ça dépend. Les puristes soutiennent que sous un tee-shirt blanc ou un haut transparent, il faut choisir un modèle couleur chair qui se fond dans le décor. Nous, on dit que c'est très joli s'il est rose flashy, bleu électrique ou jaune canari. En revanche, s'il est bêtement blanc, on ne verra que ça, mais sans que soit fun.

Dentelle ou pas ?

Laissez dépasser de la dentelle (celle du soutien-gorge ou, pour les plus pudiques, celle du caraco ou de la nuisette) d'une chemise, d'un pull col en V, d'une robe… C'est le moment de ressortir sa lingerie la plus sexy pour faire un effet « waouh »…

Quid du soutif à bretelles en plastique transparent ?

Ne riez pas ! On voit certaines filles qui l'osent encore sous un bustier ou un top à bretelles : au final, on ne voit que ça ! Mieux vaut un modèle sans bretelles ou à bretelles croisées dans le dos, qui sauront, eux, se faire invisibles.

Jouez avec les transparences

Les robes en mousseline, tellement de saison, font ça très bien… Mais attention à ne pas tout « flasher » d'un coup. Avant de sortir à demi nue, pensez à ajouter une nuisette, un fond de robe, un jupon.

Conseil du jour

Fashion faux pas !
Gare à la VPL, *Visible Panty Line*, autrement dit la marque de la culotte sous un pantalon. Le string ou la culotte sans coutures sont les remèdes incontournables.

QUI DIT SEXY,
DIT COME-BACK
DE LA CAGOLE?

---

*Bien couverte, pas de doute, on est digne.
Mais qu'en est-il de la minijupe,
du microtop… ? Je n'en ai pas enlevé
un peu trop, là ?*

Point trop n'en faut

La tentation est grande, lorsque les températures redeviennent clémentes, de se laisser aller à exhiber ce petit corps trop longtemps enfermé. Bien sûr, on a envie d'être sexy et de montrer de la chair. Mais il y a une frontière à ne pas dépasser entre le joli sex-appeal et le too too much.

Pas tout en même temps

Le diktat ancestral, c'est que lorsque l'on dévoile le haut, on couvre le bas, et inversement. Donc, la minirobe au décolleté pigeonnant doit se tamiser avec un blazer ou un long gilet de grand-père.

L'exception qui confirme la règle

En même temps, une mini en jean + un débardeur, ça en dévoile beaucoup, mais ça peut se faire avec goût. Dans ce cas-là, on reste sur du plat et on opte pour un haut de maillot de bain triangle qui dépasse du marcel (c'est moins provocant que les bretelles du soutien-gorge).

Haro sur les talons hauts

Ajouter des talons à une tenue déjà passablement dénudée, c'est la cata assurée. La hauteur se pratique avec des vêtements flous mais couvrants : un chemisier aérien (dans ce cas, on n'a pas peur d'y associer une jupe-crayon ou un short) ; une robe en voile (par-dessus une combinaison opaque, pour éviter de tout montrer)…

Faites votre choix

L'autre diktat, plus actuel et plus juste, c'est qu'entre le court, le moulant, le glitter, le bling-bling, le transparent, les talons, le make-up appuyé (genre fond de teint caramel, blush rose Barbie, gloss dégoulinant), bref, entre toutes les tentations de l'été, il faut faire son choix. Un ou deux détails sexy, ça suffit.

Quelques associations payantes

✓ Minijupe + derbies + chemise d'homme.

✓ Jogging en soie fluide + débardeur + sandales mi-hautes.

✓ Toute petite robe + ballerines + faux col amovible.

✓ Jupe courte plissée + espadrilles compensées + pull en maille à col rond.

✓ Jupe-crayon + bustier par-dessus un tee-shirt + sandales plates…

Conseil du jour

Un doute juste avant de quitter la maison ?
Alors on supprime un petit quelque chose. En général, ce genre d'intuition ne trompe pas.

8

JE FAIS ENTRER L'ÉTÉ AU BUREAU (MAIS SANS RISQUER DE ME FAIRE VIRER)

J'ai passé l'hiver dans une tenue parfaitement corporate. Mon boss adore. Mais ce matin, je suis à deux doigts de lacérer en pleine réunion cet uniforme gris comme un jour de pluie.

Trouvez l'équilibre

Vous rêvez de pieds nus dans l'herbe, de grands voilages romantiques, de fleurs dans les cheveux… L'ennui, c'est que tous les milieux professionnels ne voient pas d'un bon œil l'irruption sauvage du soleil sous leurs néons. Il y a un équilibre à trouver pour assouvir sa soif de légèreté tout en restant étiquetée « business » (et pas « départ en vacances imminent »).

Soignez la coupe

Les robes aux coupes floues peuvent sembler déplacées dans un contexte un peu strict : mieux vaut s'en tenir au minimalisme de la robe trois trous ou de la robe-portefeuille. Mais rien ne vous empêche de vous lâcher sur les couleurs : framboise écrasée, bleu Klein, pomme verte… Tout peut passer du moment que la coupe est impec'.

Jouez avec les codes bureau

N'hésitez pas à jouer avec les codes bureau en détournant en robe une grande chemise d'homme finement rayée. Bien ceinturée à la taille, rendue chic par des hauts talons, cette panoplie volée aux hommes leur remonte sacrément les bretelles !

L'indétrônable petite robe noire

Elle n'a nul besoin de quitter le paysage, mais autorisez-vous des coupes pas trop sévères : jupe plissée, épaulettes froncées, ou bien détails de dentelle, de broderie anglaise, de mousseline...

Réinventez le tailleur-pantalon

Bien sûr, il existe en beige, mais bon... on a plutôt envie de l'oser en version short ou bermuda. Ou d'ajouter un tee-shirt et d'oublier la veste (il n'en reste plus grand-chose, du tailleur-pantalon, et c'est ça qui est bien !) Ou encore de choisir un pantalon et un blazer pas spécialement assortis et dans des tissus tout mous, avec un chemisier fluide lui aussi.

Ceinturez !

C'est LE truc qui rend tout plus pro. Plus la taille est marquée haut et plus l'allure est « responsable » ; à l'inverse, plus elle tombe bas et plus la silhouette est connotée junior. Plutôt qu'un simple ceinturon foncé qui peut aller toute l'année, choisissez une fine ceinture dorée, ou vernis flashy, ou en cuir tressé.

Conseil du jour

Voyage Tokyo-Capri !
Un obi coloré (cette large ceinture japonaise en tissu) peut joliment égayer une robe trop digne, tout comme un foulard passé dans les pans de ceinture du pantalon suggère finement que « Capri, c'est pas fini » !

9

LE NOIR : BLACKLISTÉ !

L'hiver, je ne réfléchis pas, donc noir, c'est noir, il n'y a plus d'espoir, et gris, c'est gris, lala lala lala laaaa. Enfin, tout cela est parfaitement assorti à la couleur des nuages et à l'humeur générale. Mais là, marre du noir ! À bas l'ébène ! Tuez le corbeau ! Problème : est-ce que je sais encore manier la palette des couleurs sans passer pour un clown ?

Le noir peut plomber

Le noir, la teinte la moins casse-tête, est la couleur dominante des femmes urbaines. Mais lorsque la lumière des beaux jours revient, il prend soudain une tonalité terne, plombante, et ne fait plus écrin à celle qui le porte. Alors qu'un rose ou un rouge donnent bonne mine, mettent de bonne humeur et collent à l'esprit champêtre du moment.

Des envies de couleurs

Oui, on a soudain des envies de se désaltérer à coups de tee-shirt grenadine, de col en V diabolo-menthe ou de pantalon curaçao. C'est très facile si l'on décide que la pièce colorée sera l'élément dissonant d'une silhouette par ailleurs monochrome (noire, ou grise, ou blanche, ou beige). Ou si ce coup d'éclat a vocation à booster un jean tout bête.

Ou de « color block »

Pourquoi ne pas s'amuser avec les blocs de couleur et oser l'association violine + vert sapin, carotte

+ rose magenta, et y ajouter par-ci par-là une goutte de bleu cyan ou de bronze ? C'est possible si la silhouette reste par ailleurs minimale : plus il y a de coloris et plus il faut y aller mollo sur les fanfreluches, les découpes compliquées et tout ce qui brouillerait trop l'allure.

On use des slims surteints

Ils ont été très tendance lors de la grande saison du « color block » et sont depuis devenus des basiques. Rouge coquelicot, bleu outremer, vert bouteille... Malgré leur vivacité, ils vont avec tout : un tee-shirt blanc aussi bien qu'un petit pull de n'importe quelle autre teinte flashy.

Le pastel, on aime

En total-look comme en petites touches, car ces nuances marshmallow peuvent se faire romantiques (un chemisier vert d'eau porté avec des sandales plates argent), rock (on ajoute un blouson de cuir et des stilettos de killeuse), basiques (une robe d'infirmière lilas, un pantalon-cigarette chair)...

Des camaïeux maison

Attraper différents éléments de sa garde-robe et les combiner ensemble n'est pas forcément chose aisée. Les moins téméraires peuvent faire confiance aux stylistes et à leurs nuanciers en achetant des grosses pièces toutes prêtes : une robe de plage à bandes, un combi-pantalon bicolore…

Conseil du jour

Un doute ?
Ne vous changez pas ! Tamisez à l'aide d'une veste… noire. Miracle : ce « back to black » structure la silhouette, sans rien enlever à sa folie des couleurs.

10

DES ACCESSOIRES
QUI FLASHENT !

Mon sac à main est noir. Mes chaussures sont noires. Mes gants sont noirs. Tiens, mes bijoux sont dorés : dommage qu'on ne les voie pas. Tout d'un coup, je me sens comme un enfant auquel on aurait donné un seau noir, une pelle noire et un râteau noir pour jouer sur la plage : déplacée. Perplexe. Et déprimée.

La ballerine

Des classiques Repetto aux créations en PVC recyclé de Melissa, la ballerine est un joli moyen de s'adonner à la couleur. Les talons hauts adorent voler la vedette dans des versions flashy et, l'été, les nu-pieds déclinent les tons de rose, bleu, doré. Bref, il n'y a qu'à changer ses souliers pour se sentir plus légère.

Le sac

L'autre zone de couleur qui se modifie d'un clic, c'est le sac. Fourre-tout en tissu comme miniréticule en cuir (ou pochette de smartphone, de tablette ou de liseuse pour les geekettes !) font toujours plus d'effet lorsqu'ils sont colorés. Et là, une silhouette sobre les met mieux en valeur qu'un patchwork hystérique.

L'accessoire fluo

On peut la jouer futuriste avec des pigments fluo, qui raffolent du contraste avec le noir : une ceinture rose Stabilo sur une « little black dress », par exemple. Mais on aime aussi des escarpins orange électrique avec un jean, une maxi-pochette jaune néon à porter sous le bras, des bracelets aux couleurs de Lego…

Le vernis

On peut même en rajouter une couche en optant pour des matériaux vernis : le sac ou les chaussures deviennent encore plus voyants quand on peut se mirer dedans !

L'ethnique

Sinon, on peut la jouer ethnique en s'inspirant de toutes les couleurs du monde. De l'Afrique, on rapporte un cabas en raphia, du Brésil, des bracelets tressés, du Mexique, une besace à motifs aztèques, d'Inde, des foulards flamboyants. Le tout saturé de couleurs, tout comme les plumes colorées en jaune ou rouge et les bijoux perlés d'inspiration navajo.

Mais aussi le foulard, le chapeau, le bandeau…

On n'oublie pas les autres adjuvants parfaits d'une silhouette vitaminée :

- ✓ les foulards pleins de peps autour du cou, du poignet, de la taille ou de l'anse du sac ;

- ✓ les chapeaux (capeline, panama, borsalino) qui se réinventent volontiers en fuschia, en mandarine ;

- ✓ les bandeaux dans les cheveux, qui donnent tout de suite une allure très Saint-Trop'…

Conseil du jour

Peu mais bien

Il n'est pas nécessairement besoin de s'habiller en technicolor pour se remettre du baume au cœur. Parfois, quelques accessoires bien sentis suffisent à faire sortir la silhouette de la case « hiver ».

11

OSEZ, OSEZ L'IMPRIMÉ !

Si, si, je vous assure qu'il y a des petites fleurs noires dessinées sur ma blouse noire. Non, en fait, même à la loupe, je ne vois rien.

Les pois, le vichy, le tie and dye, le Liberty...

Ces noms d'imprimés sont à eux seuls synonymes d'été. Les températures remontent et on a envie de semer des marguerites et des pivoines partout sur ses vêtements, de faire chanter les petits oiseaux sur ses blouses, de cultiver la banane ou l'ananas sur ses robes, de voir les animaux de la jungle traverser ses sweat-shirts, ou tout simplement de redécorer sa garde-robe à grands coups de motifs géométriques.

Un imprimé, c'est bien... Deux, c'est mieux !

Il existe en matière de mode un vieux principe selon lequel il faut que les motifs possèdent au moins une couleur en commun afin de pouvoir être réunis. C'est vrai qu'avec ça, on est sûre de ne pas se tromper. Mais on a le droit d'être plus audacieuse : faire s'entrechoquer des imprimés pas du tout raccord, en mixer trois... voire quatre.

Mix n' match !

Le plus jubilatoire, c'est de se fixer comme règle que tout va avec tout. Ce serait trop dommage de se priver du plaisir de faire cohabiter une jupe en wax avec une marinière verte et une veste en tweed… Gare tout de même à arrêter les mélanges lorsque le résultat fait vraiment mal aux yeux.

Encore plus facile

Bien sûr, nulle n'est forcée de rentrer dans le jeu du « mix n' match ». Une petite robe en soie frappée d'un motif cachemire aux couleurs chatoyantes se suffit parfaitement à elle-même. Un pantalon-cigarette pied-de-poule adore garder sa connotation rétro avec un tee-shirt tout simple. Une blouse transparente chahutée d'un semis de petites fleurs est délicieuse pour faire entrer un jean de plain-pied dans l'été. Si joli et si facile, tout ça !

Du côté des pros!

On a parfois besoin de guides pour ne pas se planter en maniant l'imprimé, alors on fait une recherche d'images sur le Net :

- ✓ Dries Van Noten (pour les associations ethniques tout simplement démentes) ;

- ✓ Diane von Furstenberg (pour les motifs géométriques qui conceptualisent ses robes-portefeuilles) ;

- ✓ Léonard (pour les courbes fluides et subtiles dans des teintes divines) ;

- ✓ Mary Katrantzou (pour les images photoshopées sur ses robes).

Conseil du jour

Grossissants, les imprimés ?
Certainement pas si on les choisit à échelle réduite. D'où le succès de ce tout ce qui est mini et mimi (petits cœurs, petits carreaux, petits pois), y compris le Liberty, à l'aise sur les grandes robes hippies, sur les chemises que l'on rentre dans le pantalon...

12

LE BLANC, UN AMI QUI ME VEUT DU BIEN

Le blanc, vous trouvez ça bien à la neige, mais en ville, vous pensez plutôt que ça grossit et que c'est salissant. Et pourtant… Le blanc, c'est bien à la neige ET c'est bien en ville, même si, non, hélas, on n'a pas de remède miracle contre les taches de sauce pizza.

Il donne bonne mine

On a tendance à oublier que le blanc donne bonne mine. Le réflexe immédiat pour rehausser le teint est en général de penser « rose », alors qu'il existe des quantités de nuances de rose et que toutes ne vont pas à tout le monde. Alors que le blanc, ça illumine tout, tout de suite, et toutes les filles.

C'est la couleur de l'été

Vous avez sans doute déjà fait le test un jour ou l'autre : un tee-shirt noir, lorsqu'il reçoit les rayons du soleil, chauffe, alors qu'un tee-shirt blanc reste frais.

Le tee-shirt blanc, c'est un basique

Le blanc, on l'aime donc en tee-shirt (le basique des basiques), mais aussi en chemise, en blouse, en débardeur, en sweat…

Un autre meilleur ami

C'est le pantalon blanc. Jean slim, pantalon large, peu importe : immaculés, ils prennent tout de suite une légèreté très aoûtienne.

Le blanc, mais aussi l'écru ou le crème

Ils sont également délicieux sur une robe toute simple en coton. Ou sur un modèle vintage un peu rugueux tout droit sorti du grenier de mamie, ou sur de la dentelle, ou sur de la mousseline. C'est virginal, on se visualise immédiatement dans un champ de pâquerettes. Si la robe est sexy, eh bien, le blanc aussi sera sexy. Tant mieux si c'est l'effet recherché !

Le cas du maillot de bain

Un maillot de bain blanc, c'est carrément hot. Surtout si on est déjà un peu hâlée. Attention à vérifier que le maillot ne soit pas transparent une fois mouillé ! C'est souvent le cas.

Faut-il oser le total-look ?

On le craint souvent alors qu'il n'y a pas plus joli (et, non, ce n'est pas grossissant, il est temps de mettre fin à ce préjugé). Jean blanc + tee-shirt blanc, c'est moderne, cool, élégant, et ça fait une silhouette d'enfer.

Le blanc raffole aussi des contrastes

Avec du noir, il est mystérieux et sexy, avec du bleu marine, il ajoute une note plus punchy, et avec n'importe quelle teinte flashy, il pétille. Il s'intègre aussi très bien dans un camaïeu pastel.

Conseil du jour

Fashion faux pas!
Le blanc n'a qu'une exigence: être réellement très très... blanc. S'il est taché ou simplement rendu jaunâtre ou grisâtre par le temps et les lavages, il mérite que votre amitié soit rompue. Snif...

13

AU FAIT, QU'EST-CE QUE JE ME METS AUX PIEDS ?

L'expression « droit dans ses bottes »
semble avoir été inventée pour moi.
J'aimerais bien rester droite, mais sans
forcément les bottes.

Soyez raisonnable !

Au plus fort de l'été, on traîne en nu-pieds, ce n'est pas très compliqué, simplement faut-il faire attention à l'état de ses petons. Mais quand on sort à peine de l'hiver, en avril ou en mai, se ruer *illico* sur les tongs, même si elles nous ont beaucoup manqué, c'est peut-être un peu prématuré.

Faut-il ranger ses souliers de l'hiver ?

Ils peuvent vous suivre encore quelques mois, dans des versions allégées, c'est-à-dire sans collants ni chaussettes. C'est le cas de la botte, si mignonne avec une jupe floue et des jambes nues, qu'il s'agisse de la motarde, de la cavalière ou de la camarguaise, ou bien des petites boots. C'est aussi le cas des mocassins et des derbies, ces chaussures d'homme qui apportent un quotient furieusement trendy portées sans rien ou avec des socquettes.

Et l'escarpin ?

Il continue lui aussi de survivre au changement de saison, surtout s'il est décolleté au niveau des doigts de pieds. Puis assez vite, il cède la place à son petit frère, le « kitten heel », plus bas, en général à bout pointu, et qui, avec son talon rikiki, donne un adorable air rétro à un pantalon-cigarette ou une jupette.

Et les ballerines ?

Elles ne demandent qu'à prolonger leur cycle avec des robes qui virevoltent et en s'essayant désormais à toutes les couleurs. Dénichez les détails printaniers : des dessins qui courent d'un pied à l'autre, des perles, des trous-trous, des brides, des rubans qui se nouent sur la cheville…

100 % adaptées à la mi-saison !

C'est la Salomé, à la fois ouverte et fermée, élégante, raffinée, mais dans laquelle on peut vraiment marcher. Sans oublier l'espadrille compensée, qui a le mérite de s'associer aussi bien à une tenue très fleur bleue qu'à une panoplie de bureau stricte.

Plus pointue, l'espadrille (plate)

L'espadrille a fait son retour de chez Pépéland depuis quelques saisons. Son inconvénient : sa semelle en corde exige un temps sec. Son avantage : elle va aux jours de vent comme aux grandes chaleurs. Avec un jean, un short ou une jupe, elles semblent parfaites.

Conseil du jour

Attention, it-shoes !
Rien ne semble pouvoir détrôner les mythiques et par ailleurs parfaites pour la saison petites baskets type Bensimon.

14

SAC EN CUIR vs CABAS EN PAILLE : LE MATCH

*L'hiver, mon sac est plutôt en cuir,
en tout cas imperméable et résistant.
Le hic, c'est qu'il semble aussi
imperméable et résistant au « light spirit »
du moment !*

Marre du gros sac en cuir aux couleurs automnales !

Il plombe un peu l'allure et le moral quand on a soudain envie d'un style plus éthéré. Parfois même, on a tout bon : la petite robe légère, les ballerines espiègles et, boum, on oublie de changer de sac et on se retrouve avec ce gros poids mort sur l'épaule qui déséquilibre la silhouette (si, c'est grave... enfin, un poil).

Les filles se pâment en général pour les paniers en paille

C'est authentique, ça ne coûte rien, c'est donc le contraire d'un it-bag et on peut y glisser tout ce que l'on veut. Mais à peine sorties des mois froids, avouons qu'il sert surtout à faire le marché. Si vraiment on tient au panier pour tous les jours, il faut en dénicher un « urbanisé » : teint en foncé, avec des détails en cuir comme les anses et le fond...

Le cabas en coton

Tout aussi économique et d'emblée utilisable (certaines le gardent tout l'hiver... c'est vrai qu'il est très joli avec un caban) : le cabas en coton. Souvent, même, on recycle ceux qui sont donnés gratuitement à la place des bêtes sacs jetables dans les griffes en vogue !

Le même, en light

Les matières s'allègent : tissu, crochet, toile enduite, nylon... L'idéal est de s'offrir la version light de ce sac que l'on a aimé en hiver. On ne change rien à la forme, celle qui correspond à son style de vie (et à la masse de ce que l'on transporte). Pas de panique ! Les marques y ont pensé les premières et déclinent la plupart du temps leurs best-sellers dans les matériaux de la saison.

Cuir ou pas ?

Le sac en cuir n'est pas banni, loin de là, mais on le préfère désormais dans des couleurs qui tiltent. Un fourre-tout vert anis ? Un sac cartable rose bonbon ? Un sac bowling rouge cerise ? Une grande pochette jaune canari ? On dit oui !

Pochette ou XXL ?

Si les miniréticules continuent de nous accompagner en soirée, il faut avouer que l'été, c'est plutôt le moment des « 24 heures » et autres cabas XXL. Pour s'y retrouver dans ces gros volumes, on multiplie les petites pochettes à zip ou on recycle les pochons de chaussures en mini-« sacs à sac ». Ce n'est pas très funky (nos grands-mères faisaient ça), mais ça a le mérite d'être pratique.

Conseil du jour

J'ose l'imprimé zèbre ou pas ?
Les imprimés animaliers apportent aussi beaucoup de fantaisie dans leurs versions colorées: une pochette en python bleu soutenu, ou zèbre orangé, ou panthère violette, c'est encore plus vivant que la même pochette unie.

15

PAS SUPERFLUES,
LES SUPERPOSITIONS !

Tout habillée, mes vêtements d'hiver me rajoutent deux bons kilos sur la balance. C'est ce qu'il me faut pour avoir chaud. En avril, le régime qui consiste à se désaper est le seul qui me plaise. L'ennui, c'est qu'avec ça, j'ai un peu froid, moi.

On juxtapose les couches

C'est le premier jour du printemps et déjà on rêve de s'habiller comme sur la Côte d'Azur en plein mois de juillet. Sauf qu'il ne suffit pas que le calendrier le dise pour que ce soit réellement le printemps, la météo en ayant parfois (souvent) décidé autrement. En même temps, pas question de s'accrocher à sa panoplie hivernale comme à une bouée de détresse. Car une couche fine + une couche fine + une couche fine… au final, ça fait une tenue qui résiste aux coups de vent ou aux clim' intempestives.

On superpose les tops légers

… Jusqu'à ce que l'on ait chaud (on s'arrête quand on commence à ressembler à un bonhomme Michelin). Deux débardeurs valent mieux qu'un, par exemple. Mais on n'hésite pas à voir plus loin : un sous-pull en maille toute fine + un chemisier romantique + un gilet de garçon de café + une chemise en chambray = un look créatif et arty, à effeuiller au fil de la journée.

Le bon principe à retenir

Attention tout de même à ne pas se retrouver étriquée dans des piles de vêtements qui entravent le mouvement. Le principe : plus on est près du corps, plus les matières doivent être fines et les coupes cintrées, mais plus on arrive vers les couches extérieures, plus les tailles doivent être amples et laisser respirer.

L'étole, indispensable

Absolument indispensable contre les bourrasques inopinées ou le froid d'une salle de cinéma : l'étole. Mais pas un simple foulard, non : on parle d'une étole de la taille d'un drap. On peut tout faire avec ! Des tas de tours autour du cou, la porter comme un châle, même s'en servir de couverture de survie…

Twin-set, mon ami…

Un petit top et son cardigan : c'est LE vêtement superposition par excellence. Il est très pratique de l'acheter tout fait, mais on peut se fabriquer soi-même le sien en associant débardeurs, bustiers et autres camisoles à des gilets ou des petites vestes carrées, le concept du twin-set réclamant que les deux donnent l'illusion d'aller vraiment ensemble. Et on décide à l'avance de quelques associations gagnantes afin de ne pas avoir à y réfléchir le matin.

Sans oublier les grandes pièces

Elles aussi jouent le jeu. Pas uniquement en glissant un tee-shirt sous une robe à bretelles : le plaisir vient de ce que l'on crée des vêtements totalement nouveaux rien qu'en portant, mettons, un chemisier en voile sous une robe en velours. Ou un petit pull à col rond sous un combi-short.

Conseil du jour

La marinière pour casser les codes
La marinière se faufile partout, sous une chemise de bûcheron portée comme une veste, sous une robe bustier pour casser le côté soirée, sous n'importe quelle robe imprimée pour créer un clash, sous une veste en tweed trop dadame...

16

CHAUD + FROID
= LE BON MIX

---

*Bottes, doudoune, bonnet… Tous mes
vêtements ont l'air d'être sortis d'un
catalogue de ski. Comment ne plus avoir
l'air en route pour les pistes, mais pas
encore non plus prête pour le surf ?*

Pas de tri hâtif!

Avant de remiser au fond de l'armoire tous ces vêtements d'hiver qui vous sortent par les yeux, réfléchissez à deux fois. Il y a là-dedans des trésors qui peuvent être recyclés et, même, ne demandent qu'à prendre un visage nouveau… plus gai… plus léger… estival! Deux bénéfices dans cette histoire : d'abord, continuer à tenir chaud, car la canicule, c'est pas encore ça ; et puis créer des associations de style inattendues donc payantes.

Jouez le chaud-froid

Il est de bon ton, à la mi-saison, d'associer un vêtement très étiqueté hiver avec un vêtement très labellisé été. Exemples :

✓ une robe courte et fleurie (ou un short en jean) avec des grandes bottes noires ;

✓ des sandales à plateau avec des grosses chaussettes de laine + une minijupe avec une épaisse chemise en flanelle ;

✓ un sarouel en soie, des sandales, avec en prime un pull XXL en laine torsadée.

On raffole de tous ces chocs stylistiques entre le chaud et le froid.

Osez !

C'est le moment pour les vraies fashionistas d'assouvir leurs désirs de vêtements trop complexes pour le commun des mortelles : le short en cachemire, le débardeur en laine, la cape ou le poncho… Bref, tous ces trucs dont on ne sait jamais s'ils se portent quand il fait chaud ou froid.

Sortez-les du placard !

C'est aussi le moment d'utiliser enfin ce gilet sans manches dont on ne sait pas trop quoi faire. Car la petite robe imprimée cerises va se laisser réchauffer juste ce qu'il faut par un modèle long en mohair. De la même manière, un tee-shirt manches longues sera moins frileux à demi couvert par un gilet de garçon de café.

Styliste d'un jour, styliste toujours!

On peut également prendre ses basiques des jours gris pour leur injecter un brin de soleil : couper les manches de sa veste en jean et la porter sur un jupon fifties un peu volumineux ; enfiler ses baskets (type Converse) comme des babouches, en écrasant le talon ; coudre des écussons papillon et des strass dans le dos de sa veste militaire kaki…

Mais attention à ce que le soleil ne tape pas prématurément sur la tête ! Car les (trop) grands écarts sont à éviter, malgré tout. Manteau d'hiver + nu-pieds ? No way !

Conseil du jour

Fashion faux pas !
Évitez la pas très chic association entre la botte fourrée type Ugg et la mini en jean.

17

JE SUIS LES ICÔNES DU « FROID, MOI ? JAMAIS ! »

De B. B. hier à G. B. (Gisele Bündchen) aujourd'hui, toutes les stars ont l'air de vivre en bikini. Résultat, je ne sais plus à quel saint me vouer pour trouver l'inspiration.

Claudia Schiffer

Au royaume de la mi-saison, cette gypsy minimaliste est reine. Aucun autre people n'a son pareil pour porter la robe folklo par-dessus un collant opaque noir, ou la robe en soie sous un pull mohair à manches courtes, couvrir une blouse imprimée d'un tricot oversize sans manches, décaler la marinière avec des cuissardes camel, associer une robe tangerine à une cape en laine grise, voire simplement rehausser une panoplie monochrome d'un foulard bariolé. Il faut dire qu'elle réside à Londres à l'année et que...

Les british girls

Elles sont très fortes pour marier affaires d'hiver et d'été! Question de climat, sans doute: il fait rarement très très chaud... Forcément, la it-girl Alexa Chung fait jurisprudence (elle adore être en short ou minirobe, mais sait les adapter aux frimas), de même que la styliste Stella McCartney, l'incontournable Kate Moss, la hippie addict Sienna Miller ou l'Anglaise d'adoption Gwyneth Paltrow.

La griffe Burberry

Au rayon des défilés qui nourrissent l'inspiration, la griffe Burberry fait sens. Tantôt on y apprend à porter le trench comme une robe (sans rien dessous : tellement troublant…), tantôt on y voit comment réchauffer une robe en mousseline d'une peau lainée. Ils sont forts, ces British.

Michelle Obama

Cette femme de poigne adore les couleurs fortes mais doit sans cesse se coltiner des discours, des visites, des défilés, tout un tas d'endroits dans lesquels elle est exposée au moindre coup de froid. Sa tactique antirhume : des coupes classiques, affûtées et couvrantes, mais dans des teintes qui font splash. Rappelez-vous sa fameuse collection de cardigans J.Crew de toutes les couleurs…

Rachel Bislon et Kate Bosworth

Voilà deux starlettes hollywoodiennes qui résistent à l'évidence de se pavaner en minijupe et tongs et préfèrent se peaufiner une élégance cool. Elles habillent leurs shorts en jean de boots en daim, leurs robes légères de vestes militaires, leurs « carrot pants » d'un petit pull…

Conseil du jour

À copier : les top models après les défilés
Elles viennent en général de présenter des vêtements pas du tout de saison et voyagent tellement qu'elles n'ont pas le temps (ou le besoin) d'avoir une garde-robe hiver et une été. Du coup, elles sont maîtresses en superpositions à l'arrache, ajoutant un énorme chèche à une panoplie short-tee-shirt, un legging à un long tee-shirt qui fait office de robe, une veste en cuir à tout et n'importe quoi…

18

IL FAIT CHAUD MAIS IL PLEUT : JE FAIS QUOI DANS TOUT ÇA ?

Les chaussures toutes mimi noyées dans les flaques et la blouse trempée pire qu'un tee-shirt mouillé, c'est la crise de nerfs (et le gros rhume) assurée. Comment je fais ?

La botte en caoutchouc

Elle reste la meilleure parade contre les giboulées. L'ennui, c'est que mal portée, elle donne l'air d'avoir huit ans (pas huit ans de plus, ni huit ans de moins, non, juste huit ans). Donc, on choisit un modèle haut et étroit qui se révèle furieusement sexy avec un short, une mini ou un slim rentré dedans (comme Kate Moss, Keira Knightley et toutes leurs consœurs du très boueux festival de Glastonbury).

La bottine mi-mollet

OK, elle fait juvénile et fraîche avec une jupe-trapèze ou un pantalon 7/8. C'est joli, mais essayez un peu avec un petit blouson ou une veste en jean… Oubliez le ciré jaune : interdit, merci.

À la new-yorkaise…

Pour celles qui n'assument pas totalement la caoutchouc attitude, il est tout à fait permis d'emporter une paire d'escarpins ou de ballerines dans son sac pour se rechausser une fois arrivée au bureau, chez ses amis, au resto.

Les escarpins décolletés à patins

Si l'on tient à garder de la hauteur même dans la rue, la solution, ce sont ces escarpins ! Leur découpe est moins étouffante que les modèles fermés, mais en même temps, leur semelle compensée permet de ne pas patauger dans l'eau. Un bon compromis !

Les sandales à plate-forme

Elles maintiennent également le pied au-dessus des flaques. Attention, elles doivent être praticables, pas glissantes, en un mot, tout sauf casse-gueule !

Les baskets, mocassins et derbies

Après nous avoir accompagnées tout l'hiver, ils sont ravis de reprendre du service, mais pour compenser le côté moins estival de la chose, on maintient un peu de gaieté avec une robe polo colorée, un short + un chemisier poudré…

Pour terminer la silhouette

Une fine couche imperméable par-dessus la petite robe ou le chemisier est indispensable : idéalement, c'est un minitrench, mais ce peut aussi être un petit blouson, un paletot ou un blazer, dans des matières à la fois light et qui n'absorbent pas (trop) l'eau.

Le retour du vinyle

C'est le moment idéal pour sortir son sac en vinyle, afin de ne tremper ni son maxi-bag en cuir ni son cabas en tissu. Utiles aussi si l'on est du genre à oublier son parapluie : un bob ou une capeline imperméables, à l'esprit seventies. Comme ils pèsent trois grammes, on les garde toujours au fond du sac.

Conseil du jour

On zappe
Les gilets, les pulls : on se retrouverait en nage au bout de cinq minutes de marche. Mieux vaut s'en tenir à ses manches courtes sous son imper ou sa veste.

19

LES RÉPONSES
À VOS QUESTIONS
ESSENTIELLES

De septembre à février (voire mars), j'ai eu tout le temps de piquer des idées sur les copines ou les inconnues dans la rue pour me faire un look d'hiver que j'aime. Les beaux jours déboulent et je suis seule face à mon armoire, sans personne pour m'aider ! Qui peut m'aider ?

Je ne m'aime qu'en jean

Tant mieux, c'est une bonne base pour un look estival. Étroit et court sur la cheville, il est espiègle. Rajoutez-en une couche avec une chemise nouée sur le nombril. Large et élimé, traînant sur des spartiates, il devient « flower power ». Si vous êtes accro, portez-le retroussé, avec des mocassins et une chemise… en jean.

À partir de quand puis-je commencer à porter du blanc ?

Tout de suite. Immédiatement. Exécution ! Car le blanc (sur un jean, un chemisier) est un bol d'air toute l'année et il n'est jamais déplacé (bon, sauf peut-être à un enterrement, et encore…).

Pas question de porter autre chose que du noir !

Du coup, suis-je définitivement out pour un look printanier ? Non, mais les coupes doivent être épurées pour ne pas encore vous plomber. Par exemple, une petite robe noire bien coupée avec juste des chaussures et rien d'autre (pas de gilet, pas de veste). Ou un pantalon-cigarette, un haut à col bateau et des ballerines, pour jouer les Audrey Hepburn modernes.

Le pastel me fait ressembler à la reine d'Angleterre

Pas si vous ajoutez un petit blouson de cuir par-dessus. Ou des talons aux pieds et un feutre d'homme sur la tête. En fait, n'importe quel détail qui masculinise la silhouette.

Comment adopter la jupe extra-longue sans ramasser tout ce qui traîne par terre ?

Deux possibilités :

- ✓ se percher sur des sandales compensées, dans un esprit seventies ;

✓ choisir un modèle qui s'arrête un peu plus haut, aux chevilles, et qui, avec des ballerines, un tee-shirt rock et une petite veste, a un côté remix des eighties très bien senti.

Euh… par quoi je démarre ?

Ne passez pas tout d'un coup du look sport d'hiver au look hawaïan surf: allez-y pro-gre-ssi-ve-ment. Commencez par changer un détail: par exemple, troquez votre pull contre une blouse joyeuse. Le lendemain, échangez vos grosses chaussures contre des petites ballerines. Ainsi de suite…

Conseil du jour

Fashion faux pas!
Puis-je porter des chaussettes dans des sandales plates? Bien sûr que non! Il y a longtemps que le look moine a été interdit de fashion.

20

LES PETITS DÉTAILS QUI FONT ENTRER LE SOLEIL

*Même quand le ciel est encore gris,
j'ai envie de détails
qui réchauffent toute la pièce !*

Un panama

Je n'ai pas besoin de me métamorphoser de la tête aux pieds, mon feutre en paille suffit à suggérer le changement de latitude.

Un bijou ethnique

Porté sur un débardeur ou dans le décolleté d'une robe, il fait instantanément voyager.

Des rayures

Toutes simples : du blanc et du bleu. Y a pas plus efficace pour faire croire à la mer toute proche.

Un bandeau dans les cheveux

Très large, comme celui de B.B. dans *Le Mépris*.

Un bijou de cheville

Oui, la petite chaîne qui décore les gambettes sur les plages.

Des lunettes noires

La luminosité est encore un brin faiblarde ? Pas grave, je choisis un modèle à demi teinté.

Un vernis à ongles

Je le choisis dans une tonalité qui évoque les vacances au soleil : sorbet orange, rose pépette…

Du gloss

La bouche sensuelle, gourmande, c'est THE fantasme lorsque les températures grimpent.

Un parfum d'été

Pamplemousse, citron, hibiscus, orange, bergamote… Si on a envie de le boire, c'est qu'on a trouvé le bon !

Un blush crème

Idéal pour faire monter le rose aux joues, mais sans paraître apprêtée.

Une huile à tout faire

Celle qui veloute les jambes ou fait de belles boucles souples. On s'y adonne plus encore si elle sent le monoï !

Un tatoo éphémère

Sur le biceps ou sur la cheville, le tatouage ne dure que quelques jours, c'est juvénile et régressif. Pile ce qu'il faut.

Du jus de carotte

Parce que ce breuvage détox a la réputation de faire un sacré teint d'été.

Conseil du jour

Souriez
Finalement, c'est ça, le rayon de soleil vrai de vrai !

DANS LA MÊME COLLECTION

achevé d'imprimer en Espagne chez Macrolibros
4125134/01
Dépôt légal : mars 2013
ISBN :978-2-501-08314-0